신기한 사과나무

글, 그림 ● 이시아
Isia

한 아주머니가 숲에서
산딸기를 땄습니다.
그러고는 어느 할머니께
조금 나눠 드렸습니다.

"으음, 고마워요.
당신 아들이
다른 사람들을
도울 수 있게 해 주겠소."

아주머니의 아들 이름은
장이었습니다.

장은 하는 일을 자꾸만 바꾸는 변덕쟁이입니다.

옷을 팔다가는 구두를 팔고,

또 활을 팔기도 하고, 그러다가

"이런 일은 나한테 맞지 않아."

장은 이렇게 무슨 일이든 곧 그만두고 맙니다.

"장아, 빈둥빈둥
놀지만 말고 목장일이라도
좀 하지 그러니."

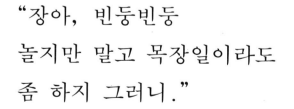

장은 목장에는 가는데, 일은 하나도 하지 않습니다.
장은 개하고 놀면서 피리를 붑니다.
"불이야. 숲에 불이 났다!"
멀리서 누군가 외치는 소리가 들립니다.

장은 불을 끄려고 숲으로 달려갑니다.
그러고는 불 속에서 도마뱀 한 마리를 건져 냈는데…….
도마뱀은 사라지고 언젠가의 할머니가 나타났습니다.
"잘했어, 장."

할머니는
보물이 가득
찬 동굴로
장을 데리고
갑니다.

"루비가 있으면 세계에서 제일 멋진 사람이 된단다.
사파이어를 가지면 세계에서 제일 부자가 되지.
사과나무를 가지면 다른 사람에게 도움을
줄 수 있는 사람이 된단다, 장."

"전 사과나무를 가질래요.
다른 사람을
도울 수 있는 사람이
되고 싶어요."

"이 사과나무에서는 날마다 금사과가
열릴 게다. 그 사과를 먹으면 어떤 병이라도
낫지. 자, 가져가려무나."
장은 사과나무를 정원에 심었습니다.

사과나무에 날마다 열리는
반짝반짝 빛나는 신기한 금사과!
장은 병든 사람들에게 금사과를 주었습니다.
"통증이 금방 사라졌어요."
"거짓말같이 건강해졌어요."
금사과는 인기가 대단하였습니다.

마침 그 때
성에 사는 임금님께서
심한 감기로 고생하고
계셨습니다.

임금님의 감기를 낫게 하려고
독일, 프랑스, 터키에서
유명한 의사들이 왔습니다.
그런데도 임금님의 감기는 낫지 않았습니다.

"어떠한 병도 낫게 하는
사과가 있다던데,
그 나무를 찾아
오도록 하여라."
하고 임금님께서
신하에게 분부하셨습니다.

“오, 이것이 신기한 사과나무로구나.”
신하는 사과나무를 캐어서
재빨리 성으로 옮겼습니다.

"큰일났어요."
동굴의 할머니께 알리려고
장이 달려갑니다.

"괜찮다, 괜찮아, 장.
바구니에 있는
네 가지 빛깔의
배를 줄게."

"노란 배를 먹으면 몸이 줄어들지.
파란 배를 먹으면 코가 늘어나지.
녹색 배를 먹으면 뿔이 돋아나지.
그리고 빨간 배를 먹으면
원래 모습으로 돌아간단다."

변장을 한
장이 성에
도착했습니다.
"배 사세요!
노랑, 파랑, 초록색의
맛있는 배가 있습니다."

"음, 맛있어라."
임금님과 성 안 사람들은
장에게 산 배를
먹고 또 먹었습니다.

…그러고는 곧
큰일이 벌어졌습니다.

성 안은 온통
야단법석이 났습니다.

"부탁입니다,
제발 도와 주세요."
신하가 장을
찾아왔습니다.

왕과 성 안 사람들은
장에게서 빨간 배를
받아 먹었습니다.
보세요, 원래 모습으로
돌아왔잖아요.

사과나무를
다시 찾은 장은
언제까지나 행복하게
지냈답니다.

WORLD PICTURE BOOK

신기한 사과나무

어린이 여러분께

이 이야기는 제가 어릴 적에 폴란드 태생의 할머니께서 들려 주셨던 것을 그림 동화로 꾸며 본 것입니다. 할머니는 옛날 이야기와 노래들을 많이 알고 계셨고, 항상 저에게 들려 주시곤 했습니다. 지금은 돌아가시고 안 계시지만 저는 이런 기억들을 소중히 여기고 있습니다.

"자신이 슬플 때엔 어려움을 당하고 있는 사람을 도와 주거라. 그러면 자신도 기쁘게 되지." 하고 할머니께서는 항상 말씀하시곤 했습니다.

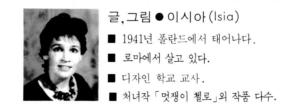

글,그림 ● 이시아 (Isia)

■ 1941년 폴란드에서 태어나다.
■ 로마에서 살고 있다.
■ 디자인 학교 교사.
■ 처녀작 「멋쟁이 첼로」외 작품 다수.

World Picture Book ⓒ1985 Gakken Co., Ltd. Tokyo.
Korean edition published by Jung-ang Educational Foundation Ltd. by arrangement through Shin Won Literary Agency Co. Seoul, Korea.

■ 발행인／장평순   ■ 편집장／노동훈
■ 편집／박두이, 김옥경, 이향숙, 박선주, 양희숙, 김수열, 강혜숙
■ 제작／이해덕, 문상화, 장승철
■ 발행처／중앙교육연구원(주)(서울시 종로구 관철동 258번지)
　　　　　대표전화／735-9600, 등록번호／제2-178호
■ 인쇄처／갑우문화주식회사(서울특별시 영등포구 양평동 1가 119번지)
■ 제본／태성제책(주)(서울특별시 구로구 가리봉동 505-13)
■ 1판 1쇄 발행일／1988년 12월 30일, 1판 16쇄 발행일／1996년 10월 20일
■ ISBN 89-21-40222-5, ISBN 89-21-00003-8(세트)